Tuuur Budr

Mwd!

I Kate, James a'r C____ ach ~ D R

I bawb yn Ysgol Gynradd Greythorn ~ A M

Cyhoeddwyd yn 2009 gan Stripes Publishing,
argraffnod Magi Publications, 1 The Coda Centre,
189 Munster Road, Llundain SW6 6AW

Teitl gwreiddiol: *Dirty Bertie – Mud!*

Cyhoeddwyd yn Gymraeg yn 2010 gan
Wasg Gomer, Llandysul, Ceredigion SA44 4JL
www.gomer.co.uk

ISBN 978 1 84851 187 3

Dymuna'r cyhoeddwyr gydnabod cymorth
Adrannau Cyngor Llyfrau Cymru.

Argraffwyd a rhwymwyd yng Nghymru gan
Wasg Gomer, Llandysul, Ceredigion SA44 4JL

Tudur Budr

Mwd!

DAVID ROBERTS · ALAN MACDONALD
Addasiad Gwenno Mair Davies

Gomer

Casglwch lyfrau
Tudur Budr i gyd!

I ddod:

Cynnwys

MWD!

PENNOD 1

'TUDUR! TYNNA DY DDWYLO ALLAN O DY BOCEDI!' taranodd llais Miss Jones.

'Dwi'n oer, Miss,' cwynodd Tudur.

'Rhed o gwmpas 'ta!'

Gwnaeth Tudur hanner ymdrech i guro'i draed ar y llawr. Roedd o'n casáu ymarfer pêl-droed. Pam fod yn rhaid i Miss Jones eu llusgo nhw allan i'r oerfel? Pam nad oedden nhw'n cael ymarfer dan do?

Tudur Budr

Roedd Tudur yn wych am wylio gêm bêl-droed. Roedd o'n bencampwr ar siarad am bêl-droed. Ond doedd o'n dda i ddim am *chwarae*'r gêm. Doedd o byth i'w weld yn y lle iawn ar yr amser iawn yn ystod gêm. Treuliai'r rhan fwyaf o'r amser yn gwylio'r bêl yn hedfan yn ôl ac ymlaen uwch ei ben. A phan ddeuai'r bêl i'w gyfeiriad o, byddai pawb yn gweiddi cyngor iddo ar draws ei gilydd: 'PASIA! CICIA! CADWA HI!' Ac erbyn i Tudur benderfynu beth oedd o am ei wneud, byddai'r bêl wedi cyrraedd pen arall y cae.

Dechreuodd Miss Jones y wers gydag ymarferion cynhesu. Roedd hi'n gwisgo'i thracwisg oren llachar, yr un oedd yn gwneud iddi edrych fel pwmpen anferth. Driblodd y dosbarth drwy linell o gonau, cyn pasio peli o un person i'r llall. Yna, rhaid oedd ymarfer penio'r bêl heb wichian.

Ar ôl deng munud, galwodd Miss Jones ar bawb i ymgasglu o'i blaen.

'Cyn i ni ddechrau gêm, mae gen i ychydig o newyddion da. O'r tymor hwn ymlaen, mae gan Dîm Ieuenctid Pen-cae hyfforddwr newydd. Fi.'

'Hwrêêê!' bloeddiodd Dyfan-Gwybod-y-Cyfan.

Glaniodd lwmp o fwd ar ochr ei glust. Edrychodd Tudur i fyny ar yr awyr dan chwibanu.

Tudur Budr

'Nawr, mae gennym ni gêm bwysig ddydd Gwener ac rydw i'n chwilio am chwaraewyr newydd,' mwydrodd Miss Jones. 'Pwy fyddai'n hoffi cynrychioli'r ysgol yn y tîm pêl-droed?'

Saethodd dwsin o ddwylo i'r awyr. Cadwodd Tudur ei ddwylo wrth ei ochr. Crynodd wrth deimlo'r oerfel. Ceisiodd dynnu ei grys i lawr dros ei bengliniau i gadw'n gynnes.

'Gwych,' meddai Miss Jones. 'A phwy fyddai'n hoffi bod yn gôl-geidwad?'

Doedd dim dwylo yn yr awyr rŵan.

Teimlodd Tudur rywun yn ei binsio yn ei fraich.

'AW!' gwaeddodd.

Edrychodd Dyfan-Gwybod-y-Cyfan i fyny ar yr awyr.

Tudur Budr

'Tudur!' meddai Miss Jones. 'Wyt ti'n gwirfoddoli?'

'Fi?' meddai Tudur.

'Ia, wyt ti wedi chwarae yn y gôl o'r blaen?'

'Na, na . . . fedra i ddim . . . dydw i ddim . . .'

'Mae ganddo ofn dangos ei hun, Miss!' meddai Dyfan, gan bwnio Tudur yn galed yn ei gefn. 'Gofynnwch i unrhyw un, mae o'n wych!'

'Hmm,' meddai Miss Jones. Doedd "gwych" ddim yn air roedd hi'n tueddu i'w gysylltu â Tudur. Mae'n rhaid bod yna rywun arall fyddai'n fwy addas?

'Beth amdanat ti, Dyfan?' meddai hi.

'Fedra i ddim, Miss. Mae'n fferau i'n wan,' atebodd Dyfan, gan grechwenu.

'O, felly,' meddai Miss Jones. 'Eifion, beth amdanat ti?'

'Mae'n ddrwg gen i, ond dydi Mam ddim yn hoffi 'ngweld i'n chwarae pêl-droed.'

Tudur Budr

'Alun?'

'Does gen i ddim esgidiau pêl-droed, Miss.'

Edrychodd Tudur o'i amgylch mewn anobaith. Mae'n rhaid bod yna *rywun* a hoffai chwarae yn y gôl?

'Dyna setlo'r mater felly,' ochneidiodd Miss Jones. 'Ti fydd yn y gôl ddydd Gwener, Tudur. PAID Â'M SIOMI I.'

'Ond, Miss –' dechreuodd Tudur.

Chwythodd Miss Jones ei chwiban cyn rhuthro i ffwrdd i ddechrau'r gêm.

Tudur Budr

Llusgodd Tudur ei draed ar ei hôl. Allai hyn ddim digwydd. Y fo yn y gôl dros dîm yr ysgol? Roedd hyn yn ofnadwy! Yn hunllef! Doedd Tudur erioed wedi chwarae yn y gôl yn ei fywyd o'r blaen, ddim hyd yn oed yn y parc. Doedd ganddo ddim syniad sut i arbed pêl – fedrai o ddim arbed ei bres poced hyd yn oed. Dyfan, yr hen sglyfath dauwynebog yna, oedd i'w feio am hyn. Roedd o'n gwybod yn iawn nad oedd Tudur yn dda am chwarae pêl-droed. Roedd o'n amlwg eisiau gweld Tudur yn gwneud ffŵl ohono'i hun.

Ar ôl yr ymarfer, ymlwybrodd Tudur yn ôl tua'r ysgol gyda Darren, Eifion a Dona.

'Paid â phoeni,' meddai Dona. 'Doeddet ti ddim mor ddrwg â hynny.'

'Nac oeddet,' meddai Darren. 'Roeddet

Tudur Budr

ti'n cael gwell hwyl o lawer arni pan oeddet ti'n agor dy lygaid.'

Rhedodd Dyfan-Gwybod-y-Cyfan tuag atynt. Roedd ei grys-T a'i siorts yn hollol lân.

'Hei, Tudur, beth oedd y sgôr eto? Atgoffa fi,' meddai yn wên o glust i glust.

Anwybyddodd Tudur o.

'Chwech? Neu saith? Fe gefais i lond bol ar gyfrif.'

Tudur Budr

'O leia fydd Miss Jones ddim f'eisiau i yn y tîm rŵan,' meddai Tudur.

'O bydd, mi fydd hi,' cilwenodd Dyfan. 'Does 'na neb arall ar gael.'

Ochneidiodd Tudur. 'Pam fi? Pam na wnaiff rywun arall fynd i'r gôl?'

'Dim diolch!' meddai Darren. 'Saethwr ydw i. A beth bynnag, y gôl-geidwad sydd wastad yn cael y bai pan mae'r tîm yn colli.'

'Wyt ti'n meddwl y byddwn ni'n colli?' gofynnodd Tudur.

'Beth wyt ti'n ei feddwl?' meddai Darren. 'Ry'n ni'n chwarae yn erbyn Cwm y Gors.'

Edrychodd Tudur arno'n syn.

'Nhw sydd ar frig y gynghrair,' meddai Dona. 'Dydyn nhw ddim wedi colli'r un gêm eto.'

'HA! HA!' chwarddodd Dyfan. 'Maen nhw'n siŵr o roi cweir i chi! Dwi'n *bendant* am ddod i wylio. Faswn i ddim yn colli'r cyfle yma am y byd!'

PENNOD 2

Llusgodd Tudur ei draed yr holl ffordd adref o'r ysgol. Torrodd y newydd i'w rieni amser swper.

'Tîm yr ysgol?' meddai Dad. 'Mae hynny'n wych!'

'Mmm,' meddai Tudur. 'Ond maen nhw eisiau i mi chwarae yn y gôl.'

'Wel, mae hynny'n dda iawn, yn tydi?' gwenodd Mam. 'Dwyt ti ddim yn edrych yn hapus iawn.'

Tudur Budr

'Wrth gwrs ei fod o'n hapus,' meddai Dad.
'Doedd gen i ddim syniad dy fod ti'n gallu
chwarae yn y gôl, Tudur.'

'Dydw i ddim!' meddai Tudur yn benisel.
'Dyna'r broblem. Camgymeriad yw'r cyfan.'

'Paid â bod yn wirion,' meddai Mam. 'Dwi'n
siŵr dy fod ti'n well nag yr wyt ti'n ei feddwl.'

'DYDW I DDIM!' llefodd Tudur. 'Dwi'n
anobeithiol!'

'Wel, dwi'n siŵr y bydd popeth yn iawn,'
meddai Mam. 'Cyn belled â dy fod ti'n trio dy
orau, fydd dim ots gan neb.'

Roedd Tudur yn siŵr y byddai ots gan Miss
Jones. Roedd Miss Jones yn casáu colli mewn
unrhyw beth – mewn gêm o didli-wincs hyd
yn oed. Petai Tudur yn chwarae'n wael, byddai
hi'n debygol o'i ddefnyddio fo fel pêl-droed
ac yn ei gicio o amgylch y cae.

Roedd Dad wedi nôl ei hen bâr o drenyrs
o'r cyntedd. 'Ro'n i'n arfer chwarae ychydig o

Tudur Budr

bêl-droed fy hun erstalwm,' meddai. 'Dim
ond yn y parc, ond roeddwn i'n eitha da.'

'Wir?' meddai Tudur. Dyma'r tro cyntaf
iddo fo glywed am hyn.

'Beth am i ni fynd i'r ardd i ymarfer? Fe
alla i roi ychydig o gyngor i ti.'

Bum munud yn ddiweddarach, roedd
Tudur yn sefyll rhwng dau bot blodyn o gôl.
Roedd o'n gwisgo'i fenig gwlanog a chap pig.
Bownsiodd ei dad y bêl yn erbyn y llawr
ddwywaith neu dair cyn ei gosod ar y
glaswellt.

'Rŵan,' meddai, 'gwna dy hun yn fawr.
Ddim fel'na, dos ar dy gwrcwd. Breichiau ar
led, pen i fyny, llygad ar y bêl. Rŵan, rydw i
am ddod amdanat ti, ac rwyt ti am fy atal i
rhag sgorio.'

Chwifiodd Tudur ei freichiau. 'METHA,
METHA, METHA!' bloeddiodd.

'Beth wyt ti'n ei wneud?' gofynnodd Dad.

Tudur Budr

'Trio dy stopio di rhag sgorio.'

'Ddim fel'na. Tyrd amdanaf i!'

'Ond ro'n i'n meddwl mai yn y gôl roeddwn i i fod!' meddai Tudur.

Ochneidiodd Dad. 'Gwranda. Mi gicia i'r bêl at y gôl, tria di ei dal hi, iawn?'

Cymerodd Dad dri cham yn ôl. Rhedodd at y bêl a'i chicio'n galed gyda'i holl nerth. Gwyliodd Tudur hi'n hedfan filltiroedd uwch ei ben i'r ardd drws nesaf.

CRASH! TINC!

'Wps,' meddai Dad. 'Efallai y byddai'n well i ni orffen hyn rywbryd eto.'

Tudur Budr

Aeth y dyddiau nesaf heibio fel breuddwyd.
Fedrai Tudur ddim meddwl am unrhyw beth
ond y gêm bêl-droed. Hyd yn oed pan
oedd o'n cysgu roedd o'n cael hunllefau am
y peth. Roedd o'n breuddwydio ei fod yn
chwarae yn erbyn tîm cyfan o Miss
Jonesiaid. Driblodd Miss Jones y bêl.
Pasiodd y bêl i Miss Jones. Ciciodd Miss
Jones y bêl. Plymiodd Tudur . . .

Deffrodd ar lawr ei ystafell wely'n chwys
domen.

PENNOD 3

Daeth diwrnod y gêm fawr. Syllodd Tudur ar y diferion glaw yn llifo i lawr ffenestr y bws mini. Roedd hi ar ben arno.

'Cwyd dy galon,' meddai Darren. 'Beth ydi'r peth gwaethaf all ddigwydd?'

'Colli,' meddai Tudur. 'A finnau'n gadael i'r bêl fynd i mewn i'r gôl ugain o weithiau.'

Tudur Budr

'Wnei di ddim!' meddai Darren. 'Dwyt ti ddim mor ddrwg â hynny.'

'Nac ydw?' holodd Tudur.

'Nac wyt!' meddai Darren. 'Ond dwyt ti ddim yn dda iawn chwaith.'

'Diolch,' meddai Tudur. Trodd Dona, a oedd yn eistedd yn y sêt o'u blaenau, i'w hwynebu.

'Pwy a ŵyr, efallai y byddi di'n chwarae'n dda,' meddai. 'Efallai y gwnawn ni ennill hyd yn oed.'

'Yn erbyn Cwm y Gors?' meddai Darren.

'Hei, Tudur!' galwodd llais uchel o'r tu ôl iddynt. 'Dal hwn!'

Trodd Tudur o gwmpas. Trawodd ddarn o daffi yn erbyn ei drwyn.

'HA! HA!' gwawdiodd Dyfan-Gwybod-y-Cyfan. 'Ac rwyt ti'n galw dy hun yn gôl-geidwad? Fedri di ddim hyd yn oed ddal taffi.'

Tudur Budr

Roedd hi'n bwrw hen wragedd a ffyn pan
stopiodd y bws ym maes parcio'r ysgol.
Tyrrodd Tîm Ieuenctid Pen-cae allan o'r
cerbyd. Rhythodd pawb ar y cae. Roedd o
mor serth â bwrdd llong sy'n suddo. Roedd
yna ambell dwffyn o laswellt i'w weld –
ond roedd y gweddill
yn fôr o fwd. Nofiai
gwylan yn un o'r
pyllau.

   Daeth ton
o ryddhad
dros Tudur.
Roedd y gêm yn
siŵr o gael ei gohirio
â'r cae yn y fath gyflwr. Fyddai dim rhaid
iddo chwarae wedi'r cyfan! Roedd o'n
ddiogel!

   'Reit, ewch i newid yn gyflym,' rhuodd
Miss Jones, gan agor ei hymbarél.

Tudur Budr

'Ond Miss, beth am y cae?' meddai Tudur.

'Beth amdano?'

'Mae o fel cors. Fedrwn ni ddim chwarae ar hwnna!'

'Nonsens! Wnaiff ambell bwll dŵr ddim brifo neb. Pan oeddwn i'n ifanc, roedden ni hyd yn oed yn chwarae hoci mewn eira at ein gliniau!'

Ar hynny, rhedodd tîm Cwm y Gors allan yn eu crysau cochion. Dechreuon nhw gynhesu, gan gymryd eu tro i gicio'r bêl yn galed i'r gôl.

Sleifiodd Dyfan-Gwybod-y-Cyfan ato. 'Maen nhw'n eithaf mawr! Edrych ar y rhif naw acw. Faswn i ddim yn hoffi bod yn ei ffordd o.' Gwenodd yn falch ar Tudur.

Stompiodd Tudur i gyfeiriad yr ystafell wisgo i newid.

PENNOD 4

SBLISH, SBLASH, SBLOSH.

Padlodd Tudur yn y mwd wrth geg y gôl.
Hyd yn hyn doedd o heb adael 'run bêl i mewn
i'r gôl. O ystyried fod y gêm wedi dechrau ers
pum munud, roedd hynny'n dda iawn. Roedd
o eisoes braidd yn fudr ond doedd hynny
ddim yn ei boeni o gwbl. Roedd Tudur wrth ei
fodd gyda mwd, er bod oedolion bob amser
yn gweiddi arno i'w osgoi.

Tudur Budr

Ond roedd *disgwyl* i'r gôl-geidwad faeddu.
Roedd hynny'n rhan o'r swydd.

Sblasiodd Tudur mewn pwll o fwd. Tybed
sut stwff fyddai hwn ar gyfer sglefrio?
meddyliodd. Cymerodd ychydig gamau yn
ôl er mwyn cael rhediad go lew, cyn llithro
ar draws wyneb y gôl. Tasgodd mwd i
bobman. Dim yn ddrwg. Ar gyfer y nesaf,
aeth am y pwll mwyaf yn y gôl. Y tro hwn,
sglefriodd yr holl ffordd drwyddo.

BANG! WWWSH!

Hedfanodd rhywbeth heibio'i ben.
Edrychodd i fyny. Pam oedd pawb yn
gweiddi hwrê? Roedd chwaraewyr Cwm y
Gors yn heidio o amgylch eu rhif naw.
Trodd Tudur ei ben yn araf. Roedd 'na
bêl-droed ym mhen draw'r rhwyd.

Cochodd Miss Jones at ei chlustiau.

'TUDUR!' rhuodd. 'BETH WYT TI'N EI
WNEUD?'

Tudur Budr

'Sori! Doeddwn i ddim yn cadw golwg ar y bêl,' meddai Tudur.

Cododd Darren y bêl o'r rhwyd. 'Rwyt ti i fod i drio stopio'r bêl rhag mynd i mewn,' meddai'n gwynfanllyd.

'Doeddwn i ddim yn barod!' cwynodd Tudur. 'Dylai rhywun adael i mi wybod os ydyn nhw am saethu'r bêl!'

Tîm Ieuenctid Pen-cae oedd i ailddechrau'r gêm. Ochneidiodd Tudur. Dyma'r union reswm pam nad oedd o eisiau bod yn y gôl. Roedd yn rhaid i chi sefyllian o gwmpas am hydoedd, yn rhewi'n gorn, ac yna roedd pawb yn rhoi'r bai arnoch chi am un camgymeriad bychan bach.

Gwelodd Dyfan-Gwybod-y-Cyfan yn codi'i fodiau arno o'r llinell ystlys.

'Da iawn, Tudur!' bloeddiodd.

Tudur Budr

Am weddill yr hanner, ceisiodd Tudur ganolbwyntio ar y gêm. Doedd hynny ddim yn anodd gan fod y rhan fwyaf o'r chwarae'n digwydd o amgylch ei gôl o. Roedd Cwm y Gors yn bell ar y blaen. Symudodd chwaraewyr Pen-cae yn eu hôlau i amddiffyn yn filain. Roedd Tudur yn brysur yn plymio, yn neidio, yn llithro ac yn sglefrio ar y mwd wrth i'r bêl saethu dro ar ôl tro at y gôl fel cawod o genllysg. Trawodd un gic yn erbyn y postyn. Ergydiodd un arall yn erbyn y croesfar.

Tasgodd y drydedd rhwng coesau Tudur ac roedd ar fin mynd i mewn i'r gôl pan stopiodd mewn pwll o fwd.

Tudur Budr

Ar hanner amser, ymlwybrodd chwaraewyr Pen-cae oddi ar y cae, yn falch mai dim ond o un gôl roedden nhw'n colli. Doedd yr hyfforddwraig ddim yn hapus.

'GWARTHUS! PATHETIG!' sgrechiodd Miss Jones. 'Dydw i ddim wedi dod yr holl ffordd yma i'ch gweld chi'n colli! Rŵan, ewch 'nôl ar y cae, ac ewch amdani!'

Dechreuodd yr ail hanner. Roedd hi'n bwrw'n drwm. Roedd Tudur yn mynd yn fwy ac yn fwy budr. Roedd ei grys yn glynu

Tudur Budr

wrth ei gefn. Roedd ei siorts yn frown. Roedd ei esgidiau pêl-droed yn gwneud sŵn sugno ac yn slwtsian gyda phob cam a gymerai.

Yna fe ddigwyddodd y wyrth. Sgoriodd Pen-cae! Dona oedd yr un wnaeth synnu pawb, drwy ddriblo'r bêl drwy ddrysfa o chwaraewyr, cyn ei chicio i'r gôl.

'GÔL!' bloeddiodd Miss Jones, gan chwifio'i hymbarél.

'GÔL!' gwaeddodd Tudur, gan sefyll ar ei ddwylo yn y mwd.

Ysgydwodd Dyfan-Gwybod-y-Cyfan ei ben. Edrychodd chwaraewyr Cwm y Gors ar ei gilydd mewn anghrediniaeth. Gyda phum munud yn weddill, roedd y sgôr yn gyfartal, 1–1.

'Dewch yn eich blaenau, Pen-cae!' rhuodd Miss Jones. 'Mi fedrwch chi wneud hyn!'

Ciciodd Cwm y Gors y bêl i ailddechrau'r gêm. Cliriodd Pen-cae y bêl drwy ei chicio'n

Tudur Budr

ddigyfeiriad. Yn dilyn tafliad o'r llinell ystlys, hyrddiodd y rhif naw ei ffordd i'r cwrt cosbi.

'Tyrd allan, Tudur!' gwaeddodd Darren.

Rhuthrodd Tudur o'r gôl fel trên cyflym. Llithrodd ar y mwd, a fedrai o ddim stopio . . . 'AAAA!' gwaeddodd y rhif naw wrth i Tudur ei daro'n fflat i'r llawr.

'BÎÎB!' Chwythodd y dyfarnwr ei chwiban, gan bwyntio i gyfeiriad y smotyn cosb.

Griddfanodd chwaraewyr Pen-cae. Ychydig eiliadau yn unig oedd yn weddill ac roedd Tudur am golli'r gêm iddyn nhw.

Tudur Budr

Cododd Tudur ar ei draed a sblasio'i ffordd yn ôl at linell y gôl. *O na*, meddyliodd, *rydan ni'n siŵr o golli rŵan, a fi fydd yn cael y bai.*

Aeth ar ei gwrcwd a chodi'i ddwylo'n barod. Doedd o erioed wedi wynebu cic gosb o'r blaen.

Cymerodd y rhif naw dri cham yn ôl. Dechreuodd ar ei rediad. Clywodd Tudur rywun yn canu'n uchel y tu ôl i'r gôl:

'*Does gennym ni ond un gôli,*
Ac mae ei bants o'n drewi . . . !'

Tudur Budr

Trodd Tudur i weld wyneb Dyfan-Gwybod-y-Cyfan yn wên o glust i glust.

CLEC! . . . CLATSH!

Trawodd rhywbeth yn erbyn cefn ei ben yn galed, nes iddo golli ei gydbwysedd. Yn syfrdan, gwelodd Tudur y bêl yn bownsio yn y mwd. Estynnodd i gydio ynddi, cyn iddi groesi'r llinell. Eiliadau'n ddiweddarach, roedd tyrfa o'i gyd-chwaraewyr o'i amgylch.

'Anhygoel Tudur!'

'Am arbediad!'

Tudur Budr

'Doeddet ti ddim yn edrych hyd yn oed!'

Heidiodd pawb o'i gwmpas, gan guro'i gefn. Gwenodd Tudur, gan boeri darn o laswellt o'i geg.

Yn fuan wedyn, chwythwyd y chwiban i ddynodi diwedd y gêm. Taflodd chwaraewyr Pen-cae eu dwylo i'r awyr. Dawnsiodd Miss Jones yn y pyllau. Roedd cael gêm gyfartal yn erbyn Cwm y Gors cystal bob blewyn â chael buddugoliaeth. Cafodd Tudur ei gario oddi ar y cae gan ei gyd-chwaraewyr llawen. Gwelodd fachgen yn gwgu ac yn ceisio sleifio i ffwrdd heb gael ei weld. Crafodd Tudur lwmpyn o fwd oddi ar ei grys ac anelu'n ofalus . . .

SBLAT!

CAWS!

PENNOD 1

Roedd hi'n ugain munud i naw. Roedd Tudur
yn hwyr i'r ysgol.

'Tudur! Brysia!' gwaeddodd ei fam.

'Dydw i ddim yn mynd!'

'Tyrd i lawr fan'ma y funud yma!' bloeddiodd
Mam. 'Dwi'n cyfri i bump.'

'Mae'r drws yn sownd! Fedra i ddim dod allan!'

Plethodd Mam ei breichiau. 'Un, dau, tri,
pedwar . . . pedwar a hanner . . .'

Tudur Budr

Ffrwydrodd drws yr ystafell ymolchi ar agor a stompiodd Tudur i lawr y grisiau.

'O'r diwedd,' meddai Mam. 'Gad i mi dy weld di. Dyna ni, dwi'n meddwl dy fod ti'n edrych yn smart iawn.'

Rhythodd Tudur ar ei adlewyrchiad yn nrych y cyntedd. Prin y gallai adnabod ei hun. Roedd o'n gwisgo crys gwyn glân a thei ysgol. Roedd ei wyneb yn sgleinio'n binc, a'i wallt wedi cael ei olchi am y tro cyntaf ers misoedd. Yn hytrach nag edrych fel nyth brân, roedd o wedi'i gribo a'i wahanu'n daclus yn y canol.

'Dwi'n edrych yn hurt,' cwynodd Tudur. 'Pam na cha' i wisgo dillad cyffredin?'

Tudur Budr

'Rwyt ti'n gwybod pam,' atebodd Mam. 'Rydych chi'n cael tynnu llun dosbarth heddiw, ac rydw i am i ti edrych ar dy orau.'

Tynnodd Tudur ar ei dei.

'Mae'n fy nghrogi i! Fedra i ddim anadlu!'

'Bydd yn rhaid i ti ddioddef,' meddai Mam. 'Am unwaith, buaswn i'n hoffi cael llun dosbarth call, un y gallwn ei gadw.'

'Ond mae gyda ni filiynau o luniau ohona i!' meddai Tudur.

'Oes ac rwyt ti'n tynnu stumiau gwirion ym mhob un.'

Ochneidiodd Tudur. Nid ei fai o oedd y ffaith nad oedd ei luniau dosbarth yn rhai da. Roedd y ffotograffwyr yn gwneud i'r dosbarth sefyllian o gwmpas am hydoedd. Dyna beth oedd diflas. Erbyn iddyn nhw fynd ati i dynnu'r llun byddai Tudur wedi colli diddordeb ac yn edrych i'r cyfeiriad anghywir.

Tudur Budr

Dosbarth
Miss Jones
Ysgol Pen-cae

Sythodd Mam ei dei. 'A ph'run bynnag, eleni rwyt ti am edrych yn smart. Ac rydw i'n disgwyl i ti aros fel hyn trwy'r dydd.'

'Iawn, ocê, fe dria i 'ngorau,' griddfanodd Tudur, gan sychu ei drwyn â chefn ei law.

Ochneidiodd Mam yn ddigalon. Roedd Tudur yn ei chael hi'n anodd i aros yn lân ac yn daclus am bum munud, heb sôn am ddiwrnod cyfan.

Tudur Budr

'Fe wna' i daro bargen â thi,' meddai. 'Os medri di ddod â llun dosbarth call adref i mi, fe af i â thi i'r parc dŵr yna.'

'Dinas Ddŵr?' ebychodd Tudur.

Roedd Dinas Ddŵr newydd agor yn y dref ac roedd pob un o ffrindiau Tudur wedi bod yno'n barod. Roedd yno byllau swigod anferth, a chwe sleid yn cynnwys Llwybr Llaethog yr Afon Wyllt. Roedd Tudur yn barod i wneud unrhyw beth er mwyn cael mynd i'r Ddinas Ddŵr – aros yn lân am ddiwrnod cyfan hyd yn oed.

'Bargen?' meddai Mam.

'Bargen!' meddai Tudur yn llawn cyffro.

'Da iawn. Oes gen ti hances boced?'

Tynnodd Tudur ei hances o'i boced.

'Cofia ei defnyddio cyn i ti gael tynnu dy lun,' meddai Mam. 'Dydw i ddim eisiau llun ohonot ti â'th drwyn di'n rhedeg.'

'Iawn!' ochneidiodd Tudur.

Tudur Budr

'A phaid â'i cholli. Dim hances, dim taith i'r Ddinas Ddŵr – dallt?'

Stwffiodd Tudur ei hances i fyny ei lawes a rhuthro i lawr y ffordd. Fedrai o ddim aros tan y penwythnos. Y cyfan oedd angen iddo'i wneud oedd aros yn lân am un diwrnod – pa mor anodd allai hynny fod?

PENNOD 2

Roedd Tudur a'i ffrindiau allan ar iard yr
ysgol, yn aros i'r gloch ganu.

'Beth ydi'r arogl rhyfedd yna?' holodd
Darren, gan wasgu ei drwyn.

'Tudur sy'n drewi,' gwenodd Eifion. 'Mae o
wedi cael bath!'

Aroglodd Darren Tudur. 'Pww! Rwyt ti'n
drewi o flodau!'

Tudur Budr

'Dim ond siampŵ ydi o!' meddai Tudur.

'A beth sy'n bod hefo dy wallt di?' meddai Eifion.

Rholiodd Tudur ei lygaid. 'Mam wnaeth o fel hyn. Ar gyfer y llun.'

'Dwi'n meddwl dy fod ti'n edrych yn hyfryd,' chwarddodd Dona.

'HYFRYD?' chwarddodd Darren. 'Mae o'n edrych fel rhywbeth o blaned arall! A ph'run bynnag, fetia i na fedri di aros fel rwyt ti am bum munud.'

'Dyna ble rwyt ti'n anghywir,' meddai Tudur. 'Achos mae Mam wedi addo mynd â fi i'r Ddinas Ddŵr os medra i aros yn lân.'

Ar hynny cyrhaeddodd bachgen gwelw yn cario bag lledr. Ei elyn pennaf oedd yno, Dyfan-Gwybod-y-Cyfan. Arhosodd Dyfan a syllu ar Tudur. Syllodd Tudur yn ôl arno yntau. Roedden nhw'n edrych fel efeilliaid.

'Beth ddigwyddodd i ti?' gwawdiodd Dyfan.

'Dim,' meddai Tudur. 'Rwyt ti'n edrych yn rhyfedd. Wyt ti wedi cribo dy wallt?' Ochneidiodd Tudur.

'Os oes rhaid i ti gael gwybod, mae o ar gyfer y llun. Roeddwn i am edrych yn smart.'

'Ti? Smart? HA! HA!' chwarddodd Dyfan.

Edrychodd Tudur i lawr. Roedd Dyfan yn sefyll yn agos at bwll dŵr mawr brown. Petai o'n neidio yn hwnnw rŵan, gallai wlychu Dyfan â dŵr budr. Ond o wneud hynny, byddai yntau'n siŵr o faeddu hefyd – ac roedd o wedi addo i'w fam y byddai'n aros yn lân. Ta waeth, byddai yfory'n ddiwrnod arall.

Trodd ar ei sawdl i. 'Wela i di wedyn, y crafwr.'

Tudur Budr

Safai Miss Jones ym mhen blaen y dosbarth
gan edrych i lawr ei thrwyn main ar y
disgyblion.

'Dwi'n cymryd eich bod chi i gyd yn cofio
ein bod ni'n cael tynnu llun dosbarth
heddiw,' meddai. 'Ac eleni, dydw i ddim am i
neb ei ddifetha – iawn, Tudur?'

'Fi?' meddai Tudur.

'Ia, ti,' rhythodd Miss Jones. 'Paid ti â
meddwl mod i wedi anghofio'r hyn
ddigwyddodd y llynedd.'

'Ond nid fy nghi i oedd o, Miss!'
meddai Tudur. 'Fy nilyn i i'r
ysgol wnaeth o . . .'

'Tawelwch'
brathodd Miss
Jones. 'Eleni fydd

Tudur Budr

yna ddim cŵn na chwarae gwirion, pawb yn deall?'

'Iawn, Miss Jones,' meddai'r dosbarth yn un côr.

'Da iawn. Mae'r ffotograffydd yn cyrraedd am un o'r gloch, ac felly fe wnawn ni gwrdd yn y neuadd ar ôl cinio.'

Ochneidiodd Tudur. Ar ôl cinio? Roedd hynny'n golygu y byddai'n rhaid iddo fynd drwy'r bore cyfan heb faeddu. Ond fe fyddai'r cyfan yn werth y straen. Snwffiodd Tudur. Roedd o ar fin sychu ei drwyn yn ei lawes pan gofiodd am ei hances. Estynnodd i boced ei drowsus. Aeth yn oer drosto. Doedd yr hances ddim yno! Twriodd yn y boced arall.

Gwag!

Beth ddywedodd ei fam? *Dim hances, dim taith i'r Ddinas Ddŵr.* Pwysodd Tudur ei benelinoedd ar y ddesg. Roedd hyn yn ofnadwy – os na fedrai ddod o hyd i'r hances,

Tudur Budr

fyddai o ddim yn cael llithro i lawr Llwybr
Llaethog yr Afon Wyllt.

Roedd Miss Jones yn brysur yn ysgrifennu
ar y bwrdd gwyn. Llithrodd Tudur i lawr yn
araf yn ei sedd a diflannu o dan ei ddesg.
Gwibiodd ei lygaid ar draws y llawr. Dim
sôn am ei hances. Dechreuodd gropian ar ei
bedwar, gan wau ei ffordd drwy goedwig o
goesau. Roedd y llawr yn domen o bapur
fferins, sticeri, gwm cnoi, ambell rwbiwr,
calonnau afalau a phryfed marw – ond dim
hances.

'AW!'

O na – roedd o wedi cropian dros droed
rhywun yn ddamweiniol.

'Dyfan!' gwaeddodd Miss Jones. 'Dos
ymlaen â'th waith!'

'Nid fi wnaeth, Miss,' cwynodd Dyfan-
Gwybod-y-Cyfan. 'Fe wnaeth rhywun fy
nghicio i!'

Tudur Budr

'Paid â siarad drwy dy het!' meddai Miss Jones yn flin.

Arhosodd Tudur yn hollol lonydd. Yna'n sydyn, daeth pen Dyfan i'r golwg o dan y ddesg gan syllu'n syth i lygaid Tudur. Cododd yntau ei fys at ei geg ac ysgwyd ei ben. Lledodd gwên slei ar hyd wyneb Dyfan.

Tudur Budr

'Tudur sydd yna, Miss!' meddai Dyfan yn uchel. 'Mae o dan y bwrdd!'

Griddfanodd Tudur. Dylai fod wedi amau y byddai Dyfan-Gwybod-y-Cyfan yn dweud wrth yr athrawes.

'TUDUR!' bloeddiodd Miss Jones. 'CWYD AR DY DRAED, A TYRD YMA, Y FUNUD HON!'

Ar ei bedwar, daeth Tudur allan yn araf deg dan y bwrdd a sefyll ar ei draed. Roedd ei drowsus braidd yn llychlyd. Roedd yna ddarn o gwm cnoi'n sownd wrth un pen-glin.

'Wel? Beth sydd gen ti i'w ddweud?' mynnodd Miss Jones.

'Ym ... ydych chi wedi gweld fy hances i?' gofynnodd Tudur.

PENNOD 3

Cafodd Tudur ei gadw i mewn yn yr ysgol drwy amser chwarae'r bore, ac felly chafodd o ddim cyfle i fynd i chwilio am ei hances goll. Erbyn amser cinio, roedd o'n dechrau poeni. Roedd amser yn brin. Efallai ei fod o wedi gollwng yr hances ar y cae chwarae wrth iddo gyrraedd yr ysgol?

Roedd Mr Sarrug draw wrth y giât

Tudur Budr

yn casglu sbwriel. Fel arfer byddai Tudur yn
gwneud ei orau i osgoi'r gofalwr. Doedd Mr
Sarrug ddim yn hoffi plant, yn enwedig
Tudur. Roedd Tudur yn eithaf sicr ei fod o'n
troi'n fampir wedi iddi dywyllu. Ond roedd
hyn yn argyfwng.

'Ym . . . Mr Sarrug?'

Cariodd y gofalwr ymlaen i gasglu sbwriel.

Tudur Budr

'Roeddwn i'n meddwl tybed a ydych chi wedi gweld hances boced? Mae'n wyn ac yn . . .'

Gwgodd Mr Sarrug. 'Dwi'n gwybod beth yw hances boced, diolch.'

'O. Ydych chi wedi gweld un?'

'Ydw i'n edrych fel petawn i'n rhedeg gwasanaeth eiddo coll?'

'Na, ond . . .'

Pwysodd Mr Sarrug yn drwm ar ei frws.

'Mae unrhyw beth rydw i'n ei weld ar y cae chwarae yma'n cael ei drin fel sbwriel,' meddai. 'Ac mae sbwriel yn mynd i'r bin, iawn?'

'Iawn . . . ym, diolch,' meddai Tudur, gan droi ar ei sawdl yn gyflym.

Rhuthrodd Tudur rownd cornel yr ysgol. Daeth o hyd i ddau fin anferth, llwyd wrth y wal. Roedden nhw'n dalach na fo. Fedrai o ddim edrych i mewn iddyn nhw, hyd yn oed wrth sefyll ar flaenau ei draed.

Tudur Budr

Yn ffodus iawn roedd help wrth law.

'Helô, Tudur. Beth wyt ti'n ei wneud?' holodd Eifion, a oedd wrth ei ochr erbyn hyn.

'Brysia,' meddai Tudur. 'I lawr â thi.'

'Be?'

'Mae'n rhaid i mi ddringo ar dy gefn di!'

'Ond mae'n fudr!' meddai Eifion dan rwgnach. 'Dwi'n gwisgo fy nillad gorau.'

'Mae hyn yn argyfwng,' meddai Tudur. 'Mae'n rhaid i mi ddod o hyd i fy hances boced.'

'Beth petai Mr Sarrug yn ein dal ni?'

'Wnaiff o ddim. Tyrd yn dy flaen!'

Ochneidiodd Eifion a mynd i lawr ar ei bedwar. Dringodd Tudur ar ei gefn. Cododd gaead y bin cyntaf a chael cipolwg ar ei gynnwys. Roedd o'n llawn sbarion cinio. Roedd o'n arogli'n waeth na phan oedd Darren yn torri gwynt.

'Fedri di weld yr hances?' gofynnodd Eifion.

Tudur Budr

Tudur Budr

'Dwi wrthi'n edrych amdani. Aros yn llonydd!' meddai Tudur.

'Brysia, fedra i mo dy ddal di!'

Roedd Eifion yn bryderus. Roedd o'n meddwl ei fod yn clywed sŵn traed. Roedd rhywun yn dod ac roedd o'n eithaf sicr mai Mr Sarrug oedd yno! Neidiodd ar ei draed.

'WAAAA!' gwaeddodd Tudur, gan golli ei gydbwysedd. Gafaelodd yn un o'r biniau. Disgynnodd hwnnw amdano.

CRAAAASH!

Daeth Tudur i'r golwg dan fynydd o hen fresych a philion tatws.

'S-sori, Tudur!' meddai Eifion yn grynedig.

Ysgydwodd Tudur ei ben, gan wasgaru darnau o lysiau i bob cyfeiriad wrth wneud hynny.

'HEI CHI! DEWCH YMA!' bloeddiodd llais blin.

Tudur Budr

Roedd Mr Sarrug yn brasgamu tuag atynt, yn chwifio'i frws o gwmpas fel gwaywffon.

Wnaeth Tudur ddim aros i esbonio. Rhedodd am ei fywyd.

Cuddiodd Tudur oddi wrth Mr Sarrug yn yr ystafell gotiau. Dim ond pum munud oedd i fynd tan ddiwedd amser cinio a doedd dim golwg o'i hances o hyd.

Tudur Budr

'Pww! Beth ddigwyddodd i ti?' gofynnodd Dyfan-Gwybod-y-Cyfan, wrth iddo wthio'i ben heibio'r drws. Edrychodd Tudur arno. Gwelodd driongl gwyn ym mhoced Dyfan. Hances!

'O ble gefaist ti'r hances yna?'

'Hon? Fi sydd biau hi,' meddai Dyfan.

'Celwyddgi! Rwyt ti wedi ei dwyn! Fi biau honna.'

Estynnodd Tudur amdani, ond neidiodd Dyfan i'r ochr a chwifio'r hances boced o dan ei drwyn.

'Edrych, mae'r llythyren "D" am Dyfan arni. Mae'n debyg mai "T" am "Trwyn Smwt", sydd ar d'un di.'

Rhythodd Tudur arno.

Tudur Budr

'Beth sy'n bod?' heriodd Dyfan. 'Ydi Tudur bach, druan, wedi colli ei hances?'

'Cer i grafu,' brathodd Tudur.

'O'r gorau 'ta,' meddai Dyfan, gan godi ei ysgwyddau. 'Ro'n i ar fin dweud wrthyt ti ble y gallet ti ddod o hyd iddi, ond efallai na wna i hynny rŵan.'

'Rwyt ti wedi ei gweld hi?' meddai Tudur. 'Ble?'

Gwenodd Dyfan yn swil. 'Yn nhoiledau'r bechgyn. Ond byddai'n well i ti frysio.'

Sgrialodd Tudur i lawr y coridor, heibio'r dosbarthiadau, rownd y gornel yn gyflym a hyrddio trwy ddrws toiledau'r bechgyn.

SPLWWSH! Dyna'i draed yn mynd oddi tano a glaniodd ar ei ben-ôl gyda bang.

Edrychodd o'i amgylch. Roedd y llawr fel afon gyda dŵr at ei fferau ac roedd ei drowsus yn wlyb diferol. Dyna pryd y sylwodd ar yr arwydd ar y drws.

Cododd Tudur ar ei draed yn wlyb at ei groen. Roedd yr hen sinach bach dauwynebog wedi'i dwyllo. Doedd dim hances yno. A rŵan roedd o'n wlyb diferol *ac* yn hwyr ar gyfer y llun dosbarth.

Dosbarth Miss
Jones
Ysgol Pen-cae

PENNOD 4

Gosododd Miss Jones y disgyblion mewn rhesi ar y llwyfan yn y neuadd. O'r diwedd roedd pawb yn eu lle. Rhifodd y pennau a grwgnach. Roedd rhywun ar goll a doedd hi ddim yn anodd dyfalu pwy.

Ar yr union eiliad honno, agorodd y drws led y pen a rhuthrodd Tudur i mewn a'i wynt yn ei ddwrn.

Tudur Budr

Syllodd Miss Jones arno'n llawn braw.

"Rargol fawr! Beth ar wyneb y ddaear sydd wedi digwydd i ti?'

'Fi? Dim,' meddai Tudur.

'Edrycha ar dy olwg di!' meddai Miss Jones, gan dynnu gwallt ei phen.

Rhoddodd Tudur gip sydyn arno'i hun. Wedi meddwl am y peth, efallai ei fod yn edrych braidd yn flêr. Roedd ei drowsus yn gacen o lwch ac yn wlyb diferol. Roedd staen mawr gwyrddfrown ar ei grys gwyn glân. Roedd yna bwll o ddŵr yn lledaenu o amgylch ei draed. Gwthiodd ei wallt yn ôl o'i wyneb a disgynnodd darn o daten ohono.

Tudur Budr

'Dos i ymolchi,' gorchmynnodd Miss Jones. 'Na, aros, does dim amser i hynny. Dos i sefyll yn y rhes gefn a cheisia gadw o'r golwg.'

Camodd Tudur ar y llwyfan a gwthio'i ffordd i'r cefn at Darren, gan adael afon fechan fudr ar ei ôl.

Pwysodd y ffotograffydd dros ei gamera. 'Pawb yn barod? Dywedwch y gair "caws"!'

'Caws!' bloeddiodd y dosbarth yn un côr.

'AROS!' gwaeddodd llais o rywle.

'Beth sydd rŵan, Tudur?' meddai Miss Jones yn gwynfanllyd.

'Mae'n rhaid i mi chwythu fy nhrwyn.'

'Wel, chwytha dy drwyn 'ta. A defnyddia hances.'

'Dyna'r broblem,' cwynodd Tudur. 'Dwi wedi bod yn chwilio ym mhobman amdani ond fedra i ddim dod o hyd iddi!'

'Mi fydd yn rhaid i ti wneud hebddi felly!'

Tudur Budr

sgrechiodd Miss Jones. 'Rŵan, gawn ni dynnu'r llun, plis?'

Pwysodd y ffotograffydd dros ei gamera unwaith eto. Aeth ysgwyddau Tudur yn llipa. Roedd ei drwyn yn rhedeg ond pa ots am hynny? Unwaith y byddai ei fam yn sylweddoli ei fod o wedi colli ei hances, fyddai yna ddim taith i'r Ddinas Ddŵr beth bynnag.

Daeth o hyd i ddarn sych ar ei lawes a sychu ei drwyn. Ond, aros funud . . . beth oedd hyn? Roedd cornel wen i'w gweld dan ei lawes. A dyna pryd y cofiodd y cyfan. Roedd o wedi stwffio'i hances i fyny ei lawes y bore hwnnw er mwyn ei chadw'n saff. Tynnodd hi allan yn fuddugoliaethus. Roedd popeth am fod yn iawn. Cododd yr hances at ei drwyn a chwythu . . .

Tudur Budr

CLIC!

Dosbarth Miss Jones Ysgol Pen-cae

Tudur Budr

Roedd Mam wrthi'n brysur ar y cyfrifiadur pan glywodd y drws yn agor.

'Tudur, ti sydd yna? Sut aeth y tynnu llun?'

'Iawn,' gwaeddodd Tudur, wrth ddod i mewn i'r ystafell.

Trodd Mam i edrych arno. Aeth ei hwyneb yn welw. Edrychai fel petai ar fin llewygu.

'Tudur . . . ! BETH WYT TI WEDI EI WNEUD?!' ebychodd.

'Mae'n iawn!' gwenodd Tudur. 'Fe wnes i golli fy hances, ond dwi wedi dod o hyd iddi. Edrych!'

Chwifiodd gerpyn gwyn, gwlyb yn yr awyr.

'Felly,' meddai, 'gawn ni fynd?'

Rhythodd Mam arno. 'Mynd? Mynd i ble?'

'I'r Ddinas Ddŵr. Fe wnest ti addo!'

Tudur Budr

Roedd golwg ddifrifol ar Mam. 'Rwyt ti yn mynd i'r dŵr, Tudur. Ond nid i'r Ddinas Ddŵr!'

OFN!

PENNOD 1

Fedrai Tudur ddim aros – roedd Darren ac
Eifion yn dod draw i aros ac roedden nhw
am gysgu mewn pabell yn yr ardd. Y cyfan
oedd ei angen oedd perswadio'i rieni i
adael iddyn nhw wneud hynny.

'Mae'n ddrwg gen i, Tudur,' meddai Mam,
'dydw i ddim yn meddwl fod hynny'n syniad
da iawn.'

'Pam ddim?' holodd Tudur.

Tudur Budr

'Oherwydd y tro diwethaf, fe wnaethoch chi ddeffro'r cymdogion i gyd.'

'Dim ond cael brwydr ddŵr oedden ni.'

'Roedd hi'n ddau o'r gloch y bore! Roedd hanner y stryd yn curo ar ein drws ni.'

'Wnawn ni ddim gwneud hynny eto,' addawodd Tudur. 'Fe fyddwn ni'n dawel iawn, iawn.'

Ochneidiodd Mam yn ddrwgdybus. 'A ph'run bynnag, does gen i ddim syniad ble mae'r babell.'

Daeth Dad i'r gegin.

'Dad,' meddai Tudur, 'wyt ti'n gwybod ble mae'r babell?'

'Mmm? Yn y garej debyg.'

'Gawn ni gysgu ynddi heno?'

'Pam lai?'

'Grêt!' meddai Tudur.

Canodd cloch y drws a rhuthrodd i'w hateb cyn i'w rieni newid eu meddyliau.

'Chredwch chi fyth!' meddai Tudur, wrth i Darren ac Eifion gamu'n llawn bagiau drwy'r drws. 'Mae Mam a Dad wedi rhoi eu caniatâd i ni. Ry'n ni'n cael cysgu yn y babell!'

'Gwych!' meddai Darren. 'Gawn ni frwydr ddŵr!'

Daethant o hyd i'r babell o dan bentwr o lanast yng nghefn y garej. Dad oedd wedi cael y syniad ardderchog i'w phrynu.

Tudur Budr

Roedd o wedi bwriadu mynd yn aml ar wyliau gwersylla i'r teuluol er mwyn safio ffortiwn. Ond, hyd yn hyn, dim ond unwaith roedden nhw wedi bod yn gwersylla. Bu'n bwrw glaw drwy'r penwythnos hwnnw, a bu bron i'r babell gael ei chwythu i ffwrdd yn y gwynt ac roedd eu sachau cysgu wedi gwlychu. Wrth iddyn nhw bacio ben bore wedyn, roedd Mam wedi addo nad oedd hi am fynd i wersylla byth eto.

Gwagiodd Tudur gynnwys y bag ar y glaswellt. Syllodd Eifion ar y gybolfa o begiau a pholion.

'Efallai y dylen ni ddarllen y cyfarwyddiadau?' awgrymodd.

'Does dim angen gwneud hynny,' meddai Tudur. 'Mae'n hawdd! Dwi wedi gwneud hyn gannoedd o weithiau o'r blaen!'

Doedd hynny ddim yn hollol wir – dim ond dwywaith roedd y babell wedi cael ei chodi erioed, a doedd Tudur heb helpu o gwbl.

Tudur Budr

Reslodd Tudur ac Eifion gyda'r polion wrth i Chwiffiwr ddod i ganol y cyfan, gan eistedd ar y llawr cynfas. Diogi ar y llawr yn darllen comic yr oedd Darren.

O'r diwedd roedden nhw wedi gorffen, a chamodd Tudur yn ei ôl i edmygu'r gwaith.

Tudur Budr

'Mae'n edrych braidd yn sigledig,' gwgodd Darren.

'Mae hi i fod yn sigledig,' meddai Tudur.

'Ga i ollwng y polyn yma rŵan?' holodd Eifion o'r tu mewn.

'Aros funud!' atebodd Tudur. 'Mae'n rhaid gosod y pegiau'n gyntaf.'

Aeth Tudur o amgylch y babell â gordd bren yn ei law, yn morthwylio'r pegiau i'r ddaear. Ailgydiodd Darren yn ei gomic. Roedd Chwiffiwr yn arogli'r babell, yn awyddus i ymuno yn yr hwyl. Cododd un o'r rhaffau yn ei geg a dechrau tynnu. Saethodd y pegiau o'r ddaear. Gwyrodd y babell yn beryglus i un ochr.

'NA!' gwaeddodd Tudur. 'Gollwng, Chwiffiwr!'

'GRRRR!' chwyrnodd Chwiffiwr, gan ysgwyd ei ben o un ochr i'r llall.

'Ci drwg!' gwaeddodd Tudur, gan geisio cydio yn y rhaff.

Tudur Budr

Camodd Chwiffiwr yn ei ôl, a'r rhaff yn dal rhwng ei ddannedd. Ymestynnodd y babell. *Ac ymestyn ychydig eto.*

TWANG! Saethodd dwsin o begiau eraill o'r ddaear a disgynnodd y babell yn un pentwr ar lawr.

'MNNNNFF HEEELP!' gwaeddodd llais oddi tani.

'Iawn, Eifion, fe gei di ollwng y polyn rŵan,' meddai Tudur.

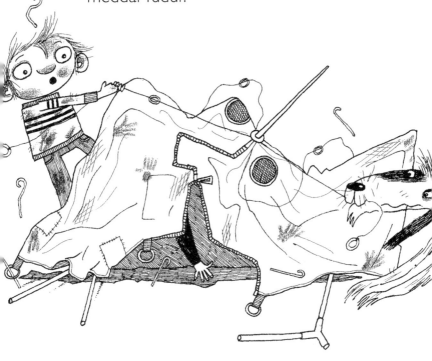

PENNOD 2

Ar ôl swper, daeth Dad allan i'r ardd i roi
trefn ar y babell. Eisteddodd Tudur yn ei
ystafell wely gyda Darren ac Eifion, yn edrych
drwy eu cyflenwadau ar gyfer y noson honno.

'Comics?' meddai Tudur.

'Oes.'

'Fflachlamp?'

'Oes.'

Tudur Budr

'Gwledd ganol nos?'

'Dwi wedi dod â chreision,' meddai Darren.

'Mae gen i fisgedi siocled,' meddai Tudur.

'Mae gen i ffrwythau,' meddai Eifion.

Edrychodd y ddau arall arno'n hurt.

'Beth? Dyna'r cyfan fedrwn i ei gael! Mae Mam yn dweud eu bod nhw'n dda i ni.'

Rholiodd Tudur ei lygaid. 'Beth am yr arfau? Oes gan bawb arf?'

Roedd gan Darren wn gofod a gafodd ar ei ben blwydd. Gwthiodd Tudur ei ddagr môr-leidr i'w wregys. Dim ond Eifion oedd wedi anghofio dod ag arf.

'Pam fod angen arfau arnon ni beth bynnag?' gofynnodd.

Cododd Tudur ei ysgwyddau. 'Wel, rwyt ti wedi cael dy rybuddio.'

'Fe fydd hi'n dywyll,' meddai Darren. 'Tywyll iawn. Dwyt ti byth yn gwybod beth allai fod *allan yna.*'

Tudur Budr

Trodd Eifion yn welw. 'Rydych chi'n trio codi ofn arna i,' meddai.

Gwthiodd Mam ei phen heibio'r drws.

'Iawn, mae'r babell yn barod!'

'Grêt,' meddai Tudur.

'Anhygoel!' meddai Darren.

'Hwrê!' Llyncodd Eifion ei boer a gafael yn dynn yn ei fflachlamp.

Sleifiodd y tri i lawr i'r ardd ar flaenau eu traed.

Tudur oedd yn arwain gydag Eifion yn dynn wrth ei sodlau. Yn y tywyllwch, roedd yr ardd yn edrych yn fwy o lawer na'r hyn yr oedd

Tudur Budr

Tudur yn ei gofio erioed. Roedd y lleuad yn wyn, fel ysbryd. Dawnsiai cysgodion y coed ar y ddaear.

'Aros!' meddai Tudur, gan sefyll yn stond. 'Ble mae Darren?'

Edrychodd y ddau o'u cwmpas. 'Roedd o yma funud yn ôl,' meddai Eifion.

'Goleuodd y ddau'r llwyni gyda'u fflachlampiau.

'Darren?' gwaeddodd Tudur. 'Ble rwyt ti?'

Dim ateb.

Chwifiodd y babell yn y gwynt.

'Darren, dydi hyn ddim yn ddoniol. Tyrd yn dy flaen!'

Tawelwch.

Tudur Budr

'Efallai ei fod o wedi mynd yn ôl i'r tŷ i nôl rhywbeth?' sibrydodd Eifion.

Edrychodd y ddau yn ôl i gyfeiriad y tŷ. Gwyliai Chwiffiwr nhw'n obeithiol o'r gegin – ei gartref am y noson.

Roedd yna sŵn siffrwd yn dod o'r llwyni. Trodd Tudur ar ei sawdl yn gyflym.

'Darren? Ai ti sydd yna?'

Distawrwydd llethol.

'Efallai y byddai'n well i ni aros yn y babell,' meddai Tudur.

'S-syniad da,' meddai Eifion yn grynedig.

Rhedodd y ddau i lawr yr ardd. Reslodd Eifion gyda'r sip . . .

'WAAAAAA!'

Rhuthrodd rhywbeth allan o'r llwyni a chydio yn Tudur gerfydd ei ysgwyddau.

'AAAAA! HEEELP!' udodd Tudur.

'HA! HA! HA!' chwarddodd Darren. 'Gest ti ofn?'

Tudur Budr

Rhyddhaodd Tudur ei hun o'i afael.

'Naddo, siŵr.'

'Celwydd! Roeddet ti bron â llenwi dy bants.'

'Nac oeddwn.'

'Oeddet.'

Tudur Budr

'Nac oeddwn. Ro'n ni'n gwybod mai ti oedd yno, yn doedden ni, Eifion? *Eifion?*'

Gwthiodd Eifion ei ben o'r babell. 'Ydi o wedi mynd?'

Roedd Darren yn dal i fwydro am ei dric clyfar wrth i'r tri ddechrau swatio yn eu sachau cysgu. *Reit, dyna ni,* meddyliodd Tudur. *Os mai fel'na mae ei dallt hi!* Doedd neb yn gwneud ffŵl o Tudur, brenin ofn Dosbarth 3. Pwy wnaeth gloi Mr Gwanllyd yn y stordy? Pwy anelodd y beipen ddŵr at Mr Sarrug, y gofalwr gwallgof? *Fe gaiff o weld pwy ydi'r babi Mam,* gwgodd Tudur. Erbyn amser cysgu byddai Darren yn crio am ei fam.

PENNOD 3

'Pasia'r creision yma,' meddai Tudur.

'Maen nhw wedi gorffen,' meddai Darren.

'Tafla fisged yma 'ta.'

'Does yna ddim un ar ôl.'

'Mae gen i ffrwythau ar ôl,' meddai Eifion.

Torrodd Tudur wynt. Roedd papurau,
pacedi creision a briwsion bisgedi ar hyd llawr
y babell. Roedden nhw eisoes wedi darllen eu

Tudur Budr

comics, wedi creu cysgodion gyda'u fflachlampau ac wedi bwyta eu gwledd ganol nos, ond doedd yr un ohonyn nhw'n teimlo'n gysglyd o bell ffordd. Cwynai'r gwynt y tu allan i'r babell.

'Mae gen i syniad,' meddai Tudur. 'Beth am i ni adrodd *straeon arswyd*?'

'Na!' gwaeddodd Eifion.

'Beth sy'n bod? Ofn cael hunllefau?' heriodd Darren. 'Dwi wrth fy modd â straeon arswyd.'

'Pwy sydd am fynd yn gyntaf?' gofynnodd Tudur.

'Eifion,' meddai Darren.

'Pam fi?' cwynodd Eifion. 'Does gen i ddim straeon arswyd.'

'Gwna un i fyny,' meddai Tudur. 'Ac er mwyn ceu awyrgylch, fe wnawn ni ddiffodd ein fflachlampau.'

Trodd Eifion yn welw. 'Ond fe fydd hi'n dywyll wedyn.'

Tudur Budr

'Grêt,' meddai Darren. 'Dwi wrth fy modd â'r tywyllwch.'

'A finnau,' meddai Tudur. 'Pawb yn barod?'

CLIC. Diffoddwyd y fflachlampau. Roedd y babell fel bol buwch.

Cliriodd Eifion ei wddf. 'Un tro, amser maith yn ôl, roedd yna dair arth . . .'

Ochneidiodd Darren. 'Nid stori arswyd yw honna!'

'Ie, wrth gwrs. Mae hi'n sôn am ysbrydion.'

'Fe ddywedaist ti mai stori am dair arth oedd hi!'

'Ie. Ysbrydion eirth ydyn nhw.'

Tudur Budr

Dechreuodd Eifion eto. 'Un tro, amser maith yn ôl, roedd yna ysbrydion siâp tair arth yn byw mewn bwthyn ysbryd mewn coedwig ysbryd . . .'

'Mae hyn yn wirion!' wfftiodd Darren. 'Stori dylwyth teg ydi hon.'

'Naci tad!'

'Ia tad!' Fetia i fod Elen Benfelen yn dod i eistedd ar gadair ysbryd wedyn ac yn bwyta uwd ysbryd!'

'Os wyt ti mor glyfar, pam na ddywedi di stori?' meddai Eifion, wedi llyncu mul.

Gwelodd Tudur ei gyfle. 'Mae gen i un,' meddai. Roedd o am ddweud stori a fyddai'n gyrru cymaint o ias i lawr cefn Darren, nes y byddai'n siŵr o fod yn ymbil arno i stopio.

'Roedd hi'n noson dywyll, dywyll,' dechreuodd Tudur. 'Roedd y gwynt yn cwyno.'

'Wwww wwwwww!' cwynodd Darren.

'Roedd yna dri bachgen yn gwersylla mewn

coedwig dywyll a dychrynllyd. Yn sydyn, clywodd y tri –'

Stopiodd Tudur yn stond.

'B-beth? Clywed beth yn sydyn?' holodd Eifion.

'Shhh!' meddai Tudur. 'Gwrandewch!'

'Paid!' cwynodd Eifion. 'Rwyt ti'n codi ofn arna i.'

'Wwww, a finnau hefyd!' meddai Darren, gan chwerthin.

Ysgydwodd Tudur ei ben. 'Dwi o ddifrif. Dwi'n siŵr y gwnes i glywed rhywbeth.'

'Ysbryd! Rydyn ni'n FAAARWWW!' gwaeddodd Darren yn uchel, gan ddal ei wddf a disgyn yn ôl ar ei glustog.

'Cau dy geg!' hisiodd Tudur. 'Gwranda!'

Daliodd y tri eu gwynt a gwrando.

BANG!

Help! meddyliodd Tudur. *Mae yna rywbeth yno go iawn.*

Tudur Budr

Roedd sŵn traed i'w glywed yn dod i lawr y llwybr. Daeth y sŵn yn nes ac yn nes. Rhewodd Tudur yn ei unfan. Cydiodd Darren yn dynn yn ei fraich. Yn sydyn, agorodd drws y babell a chafodd y tri eu dallu gan oleuni.

'AAAAAAAAAA!' bloeddiodd y tri.

'Beth sy'n bod?' Anelodd Mam ei fflachlamp i'w cyfeiriad. 'Dwi wedi dod i wneud yn siŵr eich bod chi i gyd yn iawn.'

Anadlodd Tudur ochenaid o ryddhad. 'Ry'n ni'n iawn,' meddai. 'Ro'n ni ar fin mynd i gysgu.'

'Wir,' meddai Eifion. 'Ond mae'n rhaid i mi fynd i'r tŷ bach yn gyntaf!'

PENNOD 4

'Eifion?' sibrydodd Tudur. 'Eifion, wyt ti'n cysgu?'

Chwyrnodd Eifion.

'Darren?'

Anadlodd Darren yn drwm. Tudur oedd yr unig un na fedrai gysgu. Pa mor hir oedd o wedi bod yn gorwedd yno'n effro? Oriau ac oriau. Mae'n rhaid ei bod hi'n ganol nos. Roedd y ddaear yn galed, roedd ei draed fel

Tudur Budr

blociau o rew ac roedd yna wynt oer yn dod o rywle. Yn waeth byth, tybiai y gallai glywed synau y tu allan. Synau rhyfedd – sŵn siffrwd, sŵn symud o gwmpas.

'Mam?' galwodd Tudur, ar bigau'r drain. 'Mam, ai ti sydd yno?'

Dim ateb. Byddai ei rieni siŵr o fod yn cysgu'n drwm erbyn hyn. Go brin y bydden nhw'n ei glywed, hyd yn oed petai o'n sgrechian. Ei ddychymyg oedd yn chwarae triciau arno, wrth gwrs. Y gwynt oedd yn sisial rhwng brigau'r coed. A'r babell oedd yn gwichian. Fedrai'r sŵn ddim bod yn unrhyw beth arall – fel rhyw ysbryd heb ben. Dim ond mewn straeon arswyd roedd ysbrydion yn bodoli. Petai o'n cael cip y tu allan, fyddai yna ddim siawns o gwbl iddo weld ysbryd. Ond, er hynny, efallai y byddai'n fwy saff iddo aros yn y babell, rhag ofn. Fedrai dim byd gael gafael arno yn fan hyn . . . oni bai ei fod yn dod drwy'r waliau.

Tudur Budr

BANG!

Cododd Tudur ar ei eistedd. Roedd o'n *bendant* wedi clywed rhywbeth y tro yma. Cyneuodd ei fflachlamp. Byddai'n gwneud unrhyw beth i gael bod yn ôl yn ei wely ei hun. Syniad gwirion pwy oedd cysgu y tu allan mewn pabell beth bynnag? Mae'n amlwg nad oedd gan ei rieni ryw lawer o feddwl ohono, gan nad oedd dim ots ganddyn nhw os oedd o am gael ei fwyta'n fyw ai peidio.

SIFFRWD, SIFFRWD, SIFFRWD.

Tudur Budr

'Helô?' meddai Tudur yn gryg.

Dim ateb. Os oedd yn rhaid iddo ddod wyneb yn wyneb ag ysbryd heb ben, doedd o'n sicr ddim am wneud hynny ar ei ben ei hun.

'Darren!' hisiodd.

Parhaodd Darren i chwyrnu.

'Darren, deffra!'

'Yyyyy? Be sy'n bod?'

'Gwranda!' meddai Tudur. 'Mae yna rywbeth y tu allan!'

Dylyfodd Darren ei ên a throi drosodd. 'Ia, ia. Doniol iawn, Tudur.'

'Na, nid jôc ydi hyn y tro yma! Mae yna rywbeth yno!'

Cododd Darren ei ben fodfedd i'r awyr.

CRAFU, CRAFU, CRAFU.

Ebychodd Darren. Estynnodd o dan ei obennydd am y gwn gofod. Cydiodd Tudur yn dynn yn ei ddagr môr-leidr a chodi'i fys at

Tudur Budr

ei wefusau. Petaen nhw'n aros mor ddistaw â llygod, efallai y byddai'r ysbryd yn mynd heibio.

BANG!

Aaaaaa! Roedd o reit y tu allan i'r babell. Gallai Tudur ei glywed yn anadlu'n drwm. Rhewodd mewn ofn. Roedd drws y babell yn gilagored! Mae'n rhaid bod Eifion wedi anghofio ei gau ar ôl iddo ddod yn ôl o'r tŷ bach. Doedd ryfedd fod y babell cyn oered â'r bedd!

Pwyntiodd Tudur. 'Cau . . . y . . . sip!'

'Caea di o!' gwichiodd Darren.

Roedd y peth yn crafu'r babell, yn ceisio dod i mewn. Anelodd Tudur ei fflachlamp i gyfeiriad y sŵn.

Help!

Daeth cysgod dychrynllyd gyda dannedd ffyrnig a phen anferthol i'r golwg ar ochr y babell.

Yr eiliad honno, rhuthrodd y peth i mewn i'r babell a neidio ar ei ben.

Tudur Budr

'HELPWCH FI! MAE O'N FY MWYTA I!' sgrechiodd Tudur.

'HA! HA! HA!' Roedd Darren yn ei ddyblau'n chwerthin.

Cododd Tudur ar ei eistedd, gan wthio'r anghenfil oddi arno. Syllodd ar yr ymosodwr a'i glustiau llipa, a oedd erbyn hyn yn llyfu'r ffrwythau.

'CHWIFFIWR! Sut ddaeth o allan o'r tŷ?'

Tudur Budr

Gwenodd Darren. 'Mae'n rhaid bod rhywun wedi anghofio cau'r drws cefn.'

'Eifion!' meddai Tudur. 'Fe ladda i o. Aros funud. Ble mae o?'

Anelodd y ddau eu fflachlampau i gyfeiriad y sŵn chwyrnu tawel a oedd yn dod o gornel y babell.

Agorodd Mam y sip, gan lenwi'r babell â golau dydd.

'Bore da!' meddai'n llawen. 'Wnaethoch chi gysgu'n iawn?'

'Grêt, diolch!' meddai Eifion, gan godi ar ei eistedd ac ymestyn ei freichiau.

Griddfanodd Tudur yn ei sach gysgu. Roedd Chwiffiwr wedi bod yn gorwedd ar ei ben drwy'r nos, yn troi a throsi ac yn cyfarth yn ei gwsg. Roedd Darren ac Eifion

Tudur Budr

wedi cymryd eu tro i chwyrnu'n uwch na'i gilydd. Doedd Tudur heb gysgu 'run winc.

'Pwy fyddai'n hoffi cael brecwast?' holodd Mam. 'Bacwn ac wy?'

Trodd Tudur yn wyrdd. Gwingodd o'i sach gysgu a chropian o'r babell.

'Tudur?' meddai Mam. 'I ble rwyt ti'n mynd?'

'Yn ôl i 'ngwely!' meddai Tudur yn gwynfanllyd.